L'abbé Pierre

Données de catalogage avant publication (Canada)

Pierre, abbé, 1912-
J'attendrai le plaisir du Bon Dieu

(Noms de dieux)
Comprend des réf. bibliographiques et un index.
ISBN 2-7604-0697-0

1. Pierre, abbé, 1912 - Entretiens.
2. Vie spirituelle - Église catholique. 3. Église catholique -
France - clergé - Entretiens. I. Blattchen, Edmond, 1949-
II. Titre. III. Collection.
BX4705.P53P53 1999   282'.092   C99-941375-9

*Les Éditions internationales Alain Stanké remercient le Conseil des
Arts, le ministre du Patrimoine canadien et la Société de développe-
ment des entreprises culturelles pour leur soutien financier.*

© 1999 Alice Éditions, Bruxelles, et RTBF Liège.

© 1999, Les Éditions internationales Alain Stanké pour le
Canada.

Dépôt légal : Bibliothèque nationale du Québec, 1999.

Les Éditions internationales Alain Stanké
615, boulevard René-Lévesque Ouest, bureau 1100
Montréal (Québec) H3B 1P5
Téléphone : (514) 396-5151
Télécopieur : (514) 396-0440
Courrier électronique : editions@stanke.com

L'intégrale des entretiens
NOMS DE DIEUX
d'Edmond Blattchen

L'abbé Pierre

J'attendrai le plaisir du Bon Dieu

LIÈGE Stanké

Ce texte est la transcription de l'émission NOMS DE DIEUX
d'Edmond Blattchen enregistrée le 15 avril 1993
et diffusée le 8 septembre 1993 sur les ondes
de la Radio télévision belge,
augmentée de la bibliographie mise à jour de l'auteur.
Les titres sont de l'éditeur.
L'émission NOMS DE DIEUX, produite et présentée
par Edmond Blattchen, est une réalisation
du Centre de production de Liège de la RTBF.

L'éditeur remercie tous ceux qui ont rendu possible
la publication de cet ouvrage, en particulier
l'abbé Pierre, Edmond Blattchen, Jean-Marie Libon,
Jacques Dochamps et l'équipe de l'émission,
Mamine Pirotte, directeur du Centre de production de
Liège de la RTBF et « les Amis de la RTBF Liège ».

L'édition et les notes du présent ouvrage sont de
François-Xavier Nève de Mévergnies.

L'enregistrement de cette émission sur cassette VHS,
éditée par RTBF Vidéo, est disponible à la Médiathèque de la
Communauté française de Belgique (référence
F 026 SW7902).

La publication de cet ouvrage a été encouragée par le
Fonds d'Aide à l'Édition de la Communauté française
de Belgique.

Crédits photographiques :
portrait de l'abbé Pierre : © Photo RTBF ;
les images : © Photo RTBF ; le symbole : © Photo RTBF.

© 1999 Alice Éditions, Bruxelles, et RTBF Liège.
Dépôt légal : D/1999/7641/7
ISBN 2-930182-19-9
Imprimé en Belgique.

Diffusion exclusive :
Altéra Diffusion, Bruxelles, Belgique.
Diffusion exclusive pour la France :
Éditions Desclée de Brouwer, Paris.
Diffusion exclusive pour le Canada :
Éditions internationales Alain Stanké, Montréal, Québec.

« *Je pense que la tâche*
du prochain siècle,
en face de la plus terrible menace
qu'ait connue l'humanité,
va être d'y réintégrer les dieux. »

André Malraux

Sommaire

L'abbé Pierre.

Père, bonjour

par Edmond Blattchen

EDMOND BLATTCHEN. — *Madame, Mademoiselle, Monsieur, bonjour ! Bienvenue en plein coeur de la Normandie, à Esteville, dans un des foyers d'Emmaüs. Il y en a plus de quatre-vingts en France, et plus de trois cents dans le monde. C'est ici que vit désormais le fondateur de « l'Internationale des Sans-Logis », « la Voix des hommes sans voix », comme on l'a surnommé, l'abbé Pierre.*

Père, bonjour ! Et merci de nous recevoir ici à la Halte d'Emmaüs. C'est la maison de retraite des compagnons d'Emmaüs.

Qui ne connaît pas l'abbé Pierre ? Pourtant, qu'il me soit permis de rappeler les grands étapes de votre vie.

Une vie commencée à Lyon en 1912 dans une famille de huit enfants, une famille bourgeoise et très chrétienne, où votre père vous enseigne, dès le plus jeune âge, le sens des autres. À onze ans, vous lui confiez un grand secret : vous voulez être missionnaire. À quinze ans, après une période de crise, et même de doute, vous découvrez la vie de saint François d'Assise. Quatre ans plus tard, vous entrez dans l'une des familles franciscaines, chez les capucins. Sept ans de désert, sans lesquels votre vie, à vous entendre, « est incompréhensible ». Mais qui entament dangereusement votre santé.

Aussi, à peine ordonné, en 1938, vous devez quitter le monastère. Vous voilà désormais prêtre séculier : vous êtes l'abbé Henri Grouès. Devenu « l'abbé Pierre », l'un de vos surnoms de résistant, vous êtes élu député à la Libération, presque malgré vous. Vous achetez une maison en ruines près de Paris, et vous la baptisez Emmaüs, du nom de ce village où Jésus, dit-on, apparut après sa résurrection. En

1949, *vous sauvez du suicide un ancien bagnard désespéré et vous fondez avec lui les Compagnons d'Emmaüs. Votre mission : donner un toit aux sans-logis. La grande aventure des chiffonniers-bâtisseurs est née.*

1954, un hiver terrible. Le froid tue. Il tue un bébé. Il tue une vieille dame expulsée. Dans Paris, un cri — c'est votre cri, à la radio : « Mes amis, au secours ! » Et, c'est l'insurrection de la bonté, un mouvement de solidarité sans précédent, que Denis Amar a fait revivre, il y a quelques années, • 15 *dans le film[1] où Lambert Wilson joue votre rôle, celui de* L'Insurgé de Dieu, *pour reprendre le titre du livre de Pierre Lunel[2]. Profondément mondialiste, vous parcourez le monde en croisades inlassables contre la misère et pour la paix. Vous rencontrez les grands de ce monde. Votre mouvement s'internationalise et s'implante dans une trentaine de pays. Dans les années quatre-vingt, la crise et l'apparition de la nouvelle pauvreté vous mobilisent à nouveau. Parmi vos principaux com-*

plices, Coluche, lui aussi l'ami des paumés. Voilà votre vie, une vie tout entière consacrée à aider les hommes et les femmes à genoux à se relever et à vivre debout.

Une vie pour venger l'homme, une vie pour venger Dieu.

LE TITRE

Y

EDMOND BLATTCHEN. — *Père, éclai-*
rez-nous sur ce mystérieux « Y ».

L'ABBÉ PIERRE. — D'abord il faut que je
vous dise que le type chez vous qui a
imaginé pour une série d'émissions
« Noms de dieux », au singulier ou au
pluriel, c'est certainement un homme
de très grand talent pour la publicité. Il
y a de quoi attirer l'attention. Mais, il y
a des gens à qui ça fait très mal.

• 21

> *Père, c'est moi ! De fait, vous n'êtes pas*
> *le premier à hésiter à l'écrire.*
> *Expliquez-moi.*

Cela m'a fait mal ! C'est comme ça !
Dieu, c'est un mot. Tous les mots

s'usent avec le temps. Ce qui compte, c'est ce qu'ils ont évoqué, fait concevoir, et peut-être fait aimer. Pour moi, élevé dans une famille profondément chrétienne, catholique, vivant sincèrement le partage, signe d'une authentique vie chrétienne, j'ai vécu la dévotion, la piété de tout enfant. Et puis en seconde, je devais avoir quatorze ans, a commencé une espèce de séduction de... non pas des auteurs directement, mais des manuels qui nous parlaient de ces auteurs philosophiques et de leurs œuvres ; tout ce qui était à caractère panthéisant, universaliste, me saoûlait un peu. Et parmi les philosophes, dans les années qui suivaient, j'ai lu Hegel, la philosophie allemande... Bon ! J'en étais là, un peu comme pataugeant dans un marais, lorsqu'un jour au cours d'une lecture — j'ignore complètement dans quel livre, ce que je sais c'est que ce n'était pas dans la Bible, — je suis tombé sur le récit du Buisson ardent. Moïse, le petit berger qui s'entend dire : « Va dire au peuple d'Israël de fiche le camp ! » Et Moïse tombe là et se dit :

« On va me prendre pour un fou ! On va me dire : qui t'envoie ? » Et la voix lui répond : « Tu diras : *Je suis*. On m'envoie vous dire : faites-les partir ! » Cela a été absolument comme quelqu'un qui est en train de se noyer et qui, tout d'un coup, s'accroche à un rocher, et se tape la tête sur un caillou. C'était l'absolu, l'opposé de tout ce dans quoi je pataugeais jusqu'alors. La notion de l'absolu m'a pénétré. Et a évolué en moi. Mais elle reste le plus intime de moi-même.

Tenez ! dans le missel, le merveilleux petit missel, dans le missel comme dans mon bréviaire, quand je lis « le Dieu d'Abraham, d'Isaac et de Jacob », je dis : « Zut ! Et le Dieu des autres ? » Pour moi, Dieu, c'est un absolu ; il est impossible de le relativiser, comme s'il y avait les autres. Lorsque je lis « le seigneur votre Dieu », il n'est pas « votre Dieu », c'est le Seigneur Dieu de tous. Et Israël va avoir la mission de porter cela à travers le monde.

Donc l'Y c'est...

Y, c'est la première lettre de *Yahveh* qui, dans l'écriture des Hébreux, était — il n'y avait pas de voyelles, il n'y avait que des consonnes — la première lettre qui précédait un *H*, un *V* et un *H*. On ne pouvait pas prononcer ce mot ; il n'y avait que les grands prêtres qui le pouvaient. Aussi, a-t-on employé le mot *Elohim*, « le Seigneur ». Et on a ajouté — en tenant compte qu'on lit de gauche à droite — dans les consonnes de *Y* ou *JHVH* de « Je suis », les voyelles d'*Elohim*, ce qui a fait *Jéhovah*. On a employé fréquemment ce mot mais il a complètement disparu de nos jours parce qu'on a constaté que c'était une prononciation artificielle[3].

> *Les quatre lettres* YHVH, *c'est ce qu'on appelle en fait : « Le divin tétragramme ».*
>
> *Et vous dites, à plusieurs reprises, dans les livres que vous avez signés, ou cosignés avec d'autres : « Il n'y a qu'un mot qui peut s'ajouter au concept de Dieu, c'est "amour". »*

Mais évidemment ! Je dis « Dieu, l'Être » — puisque je suis, je sais qu'il y a toujours eu de l'Être, car s'il n'y avait eu ni Être ni Cause d'Être, ni vous ni moi n'existerions, ni la table, ni les chaises — ou encore je dis « l'Éternel » — et j'aime mieux utiliser cette expression que le mot Dieu, parce que ça évoque tout de suite quelque chose de plus qu'un mot usé — à la notion d'Éternel, tout ce que j'ajoute, ça voudrait dire « l'Être qui est du bois, qui est la table… », tout ce que j'ajoute minimise. Il n'y a qu'un mot qui ne minimise pas l'Être, l'Éternel : c'est l'Amour.

L'amour, c'est ce qui fait être plus en sortant de soi. L'amour n'est pas l'abnégation dans le sens malsain de la négation de soi. L'amour, c'est devenir *plus* hors de moi. Et cela ajoute une intelligence de Dieu, d'où viendra le dogme de la Trinité. Le mot de Trinité, malheureusement, je le déteste parce qu'il est glacial, il fait froid. Alors qu'il exprime le fait que Dieu est Amour. L'amour ne peut pas se donner. L'artiste qui pourrait tout dire dans une œuvre n'en ferait pas deux. Le Verbe est unique, l'expression de soi-même que le Père donne...

Le Père voit la splendeur de lui-même dans l'image que le Verbe est de lui. Et le Verbe voit la splendeur infinie du Père. Dieu est amour. Et il y a — les mystiques disent : « Comme dans le souffle d'un baiser mutuel » — le Souffle, *Spiritus,* entre le Père et le Verbe s'aimant. Pour moi, Dieu, c'est tout cela. C'est l'immuable vivant, l'immuable mouvement. Le vent n'est rien s'il s'arrête. Il n'existe pas.

Père, lorsque l'on parle de vous, on retient généralement l'image d'un homme engagé, révolté, aux côtés des pauvres et des sans-abri. Or là, vous révélez l'autre face de l'abbé Pierre, le contemplatif, le Castor méditatif que vous étiez lorsque vous étiez scout. Vous avez écrit, à plusieurs reprises, que s'il n'y a avait pas eu les six ans chez les capucins, ces six ans et demi de désert, vivre les cinquante années qui ont suivi aurait été purement et simplement impossible.

C'est comme ça ! C'est d'ailleurs absurde. Car, est-ce préparer quelqu'un à rouler sa bosse à travers le monde, à une période où il sera député, où il devra avoir des compétences économiques, politiques et militaires — j'étais l'incompétent le plus total ! — est-ce le préparer à rencontrer des rois et des présidents... et des pauvres de toutes les races, de toutes les sortes, que de lui donner une vie contemplative, close, totalement ? Hitler est arrivé au pouvoir en 33, j'étais arrivé au couvent en 31, j'en suis sorti en 38 pour être mobilisé ; j'ignorais tout de ce qui s'était passé durant les six années pendant lesquelles cet être indéfinissable s'était emparé de l'Allemagne. Je viens de lire la partie de sa vie entre son arrivée au pouvoir (1933) et Munich (1938) : c'est un génie stupéfiant du mensonge !

Donc, d'un côté, cette claustration chez les capucins...

... me privait de la connaissance quotidienne du siècle, et tout d'un coup ce qui m'a projeté dans la réalité du siècle, c'est la guerre !

En revanche, votre « réclusion » chez les capucins vous apprend quelque chose de fondamental ?

Absolument ! Elle m'a appris ce que je ne peux pas exprimer par un autre mot que l'*adoration*. Un jour, dans une des émissions de Bernard Pivot, j'avais dit : « Cela nourrit mon adoration. » Suite à cela, un de mes neveux me demanda : « Qu'est-ce que ça veut dire ? » Je lui ai dit : « C'est comme un éblouissement supportable. » Et c'est ça qui s'est gravé en moi, et qui reste comme une blessure qui ne guérira jamais.

La signature à Reims, le 7 mai 1945,
de l'acte de capitulation inconditionnelle
des armées allemandes.

Statue de
Feliks Dzerjinski
déboulonnée à
Vilnius,
le 22 août 1991.

L'IMAGE

Le devoir
de mémoire

EDMOND BLATTCHEN. — *En fait d'image, Père, vous en avez choisi deux. La première date du 7 mai 1945 à deux heures du matin, à Reims : c'est la signature de la capitulation nazie. La deuxième, elle, date du 23 août 1991, c'est la statue de Dzerjinski[4] déboulonnée à Vilnius en Lituanie. Pourquoi ces deux images ?*

L'ABBÉ PIERRE. — Elles sont de ces images qui touchent des personnes auxquelles il n'est pas impossible, je pense — on est chrétien — de pardonner ; mais que tout chrétien éprouve comme un devoir violent d'empêcher de tomber dans l'oubli. Pardonnons, mais n'oublions jamais ! Ne laissons pas oublier. Nous interrogeons maintenant des collégiens de treize, quatorze ans ; pour eux, Hitler, c'est des autoroutes. Et c'est affreux ! Le mot *Auschwitz* n'est dans aucun manuel scolaire. Pour ces jeunes, ça ne parle plus. J'ai reçu, depuis la dernière émission où j'évoquais cela, une lettre admirable d'un homme, un survivant des camps, qui a rassemblé des documents et qui passe sa vie, bien entendu avec l'accord des professeurs, à aller d'école en école pour faire une heure d'information sur ce que lui a vécu, et sur ce qu'ont vécu ceux qui sont morts. Pardonner, il faut pardonner ! J'ai une douleur en moi tout le temps quand je pense à des jeunes, à des garçons et filles allemands, que j'aime, que je connais, car je ne peux pas m'empêcher de me dire : « N'y a-t-il pas des heures où elle, où lui, se demande : " Où, en vérité, était papa ? " »

Vous avez mis en parallèle la fin du national-socialisme et la fin du communisme en Union soviétique. Pour vous, Hitler, Staline, même combat ?

Il y a mille différences, mais il y a une ressemblance qui est la violation de toute notion de droit. La conception que vous, cinquante, soixante kilos, rien ne vous distingue de soixante kilos de cailloux. Pour une fin que s'est proposée le tyran, il vous enverra en Sibérie, ou bien il vous enverra à Dachau, pour vous faire travailler, bûcher, jusqu'à ce que vous en creviez. C'est la négation du droit. Il y a quelques années, le président Edgar Faure[5] me téléphone et me dit : « Je viens d'être chargé par le gouvernement de constituer un comité pour commémorer le deuxième centenaire de la *Déclaration des Droits de l'Homme*, je vous demande d'en faire partie. » Je lui dis : « Je viens vous voir. » Et au cours de l'entretien il fait venir son directeur de cabinet que je ne connaissais pas. C'est lui qui a écrit peu après le livre *L'Insurgé de Dieu*.

Pierre Lunel…

On ne s'était jamais vus. Après qu'on eut parlé des Droits de l'Homme, j'ai dit à Edgar Faure : « Toute ma vie, j'ai été tourmenté par cette question. Déclarer des droits, ça ne coûte rien à personne. Cela consiste tout bêtement à reconnaître des besoins. Tout homme a des besoins. Mais où trouver le principe coercitif qui fait que je dois donner une réponse à ses besoins ? »

Or, je suis arrivé à cette certitude que le seul fondement que l'on peut trouver au droit, c'est de reconnaître que ce petit bout d'homme qui commence à exister, il existe « pour », il a une destinée, il doit accomplir sa personnalité. Et pour cela, il se retourne, parce qu'il a un devoir vers ceux qui l'ont fait exister — papa, maman et la société — pour leur dire : « J'ai le *droit d'avoir les moyens* d'accomplir mon devoir. » Si bien que, dans ma petite cervelle, c'est le devoir qui devient le fondement du droit. Et tant qu'on n'admet pas cela, rien n'empêchera un dictateur de considérer que vos kilos, il suffit de chercher la meilleure manière de les utiliser. Si on a besoin de vous comme intellectuel, on vous utilisera. Et si on n'a pas besoin de vous comme intellectuel, on fera de vous du savon, comme on a fait avec les cendres des fours crématoires.

> *Père, les Droits de l'Homme, c'est aussi toute votre vie. Notamment, pendant la guerre, vous avez choisi la Résistance, alors que lorsque vous étiez au monastère, vous ne saviez rien de l'histoire, de la montée du nazisme. Pourquoi et comment avez vous choisi de défendre et de sauver des juifs, alors qu'une partie importante du clergé français avait choisi la collaboration ?*

• 37

Je ne dirais pas : « avait choisi la collaboration », je dirais : « avait choisi la passivité ». C'est comme ça, on n'y peut rien, on laisse faire… C'est vrai, et j'en suis couvert de honte !

> *Est-ce que vous auriez caché Touvier[6] ?*

Je ne me suis jamais posé la question. J'aurais tout fait pour le convaincre de se constituer prisonnier. Et j'aurais été prêt à faire valoir des circonstances qui pouvaient expliquer que tout un passé l'ait conduit dans ce chemin. Car nous savons qu'il y a des collaborateurs et des résistants qui se sont trouvés à un carrefour où il aurait suffi d'une chiquenaude pour qu'ils aillent d'un côté plutôt que de l'autre. Je l'aurais persuadé de se constituer prisonnier, pour la paix même de son être, de sa personne. Comment ai-je été amené à être résistant ? Absolument pas par une réflexion

politique, je n'en avais aucune ! S'occuper des pauvres, oui ! C'était une expérience que j'avais eue dans ma famille. Mais le problème juif, je baignais dans l'atmosphère. Autour de ma famille, il y avait pas mal de maurrassiens[7], d'antisémites... Je me suis embarqué parce qu'un jour j'étais vicaire de la cathédrale de Grenoble ; deux hommes sont venus frapper à ma porte et aussitôt ils se sont mis à sangloter. Leur femme, pendant qu'ils étaient au boulot, et leur gosse, avaient été emmenés dans la zone libre, à

Grenoble, c'est-à-dire par des gendarmes français, par des camions français ! Ils étaient venus enlever les familles pour les livrer aux nazis. Personne n'a jamais su ce qu'ils étaient devenus ! Ce jour-là, je suis devenu résistant. Pas par considération politique, mais parce que des hommes pleuraient !

Père, le Christ a dit : « Mon Royaume n'est pas de ce monde. » Pourquoi avez-vous accepté, en 1945, à la Libération, de figurer sur une liste électorale ? Une liste où vous étiez, c'est sûr, indépendant ; mais une liste qui était celle d'un parti politique, auquel vous avez adhéré quelques années plus tard ?

• 39

Pour en démissionner, encore un peu plus tard. Les circonstances sont toutes simples. Pendant la guerre, vers la fin, j'ai été arrêté ; je me suis évadé. On m'a ordonné de rejoindre l'Algérie, puis le Maroc, comme aumônier à l'École navale. Le ministre de la Marine m'a rappelé à Paris. Et, à un coin de rue je me suis trouvé nez à nez avec un copain qui s'était très bien habitué à l'idée que je n'encombrais plus la planète. C'est une méditation sur la vanité des choses de ce monde, de voir avec quelle facilité les gens pensent que vous n'existez plus. Et c'est lui qui est allé trouver le cardinal de Paris ; il lui a dit : « Nous nous tourmentons parce qu'il va y avoir des attaques contre l'Église, à cause du peu d'évêques qui se sont mouillés. Il y en a eu un qui a été déporté quelques mois, et il y a eu le cardinal Saliège[8] qui, Dieu merci, a sauvé l'honneur ! » Mais le reste n'était pas très appétissant, n'est-ce pas ? Alors, le cardinal m'a dit : « Il faut l'autorisation de votre évêque. Mais si votre évêque y consent, je vous encourage à accepter. » Et c'est ainsi que je suis devenu député, malgré que j'aie bien fait valoir mon absolue incompétence ! Je n'ai pas été un bon député, parce que je n'y connaissais rien. Mais ça m'a permis de dépanner du monde, et ça m'a montré qu'avoir été député est plus utile que l'être.

LA PHRASE

Dans l'au-delà
du temps

« *Quand on devient vieux, on a l'impression d'entendre une voix intérieure qui dit : " Avant de t'en aller, dis-nous ce que tu sais. " Et ce que je sais, ce que je veux dire, c'est que la vie, c'est un peu de temps donné à des libertés pour — si tu le veux — apprendre à aimer, pour la rencontre de l'éternel amour, dans le toujours, et l'au-delà du temps...*

— Pourquoi ne m'a-t-on pas appris cela quand j'étais enfant ? »

EDMOND BLATTCHEN. *— C'est une de vos phrases, prononcée dans un studio*

de télévision, à Cannes en 1987, sui-
vie de la réplique inattendue de quel-
qu'un que vous ne connaissiez pas, le
cinéaste français Maurice Pialat[9].
Laquelle des deux est la plus impor-
tante ? La vôtre ou la sienne ?

L'ABBÉ PIERRE. — C'est inséparable. Ce sont de ces paroles où l'on sent une communion secrète entre deux personnes qui peuvent être diverses et étrangères les unes aux autres. Et puis, il arrive un rien qui fait que le tréfonds caché au-dedans de soi resurgit. C'est une éruption, c'est le cri du cœur. Le lendemain, on a demandé à cet homme : « Êtes-vous croyant ? » Et il a répondu : « Un jour, j'ai répondu que j'étais athée. Ce jour-là, j'aurais mieux fait de me taire ! »

Père, dans votre vie, vous avez côtoyé
beaucoup de non-croyants.
Parmi vos compagnons, beaucoup
ne viennent pas assister à l'office le
matin ?

Non, vive la liberté ! La chapelle est petite. On est une trentaine dans la maison et il n'y a pas la place. Mais il n'est pas rare que quelqu'un vienne me dire : « C'est l'anniversaire de la mort de maman » ; « C'est l'anniversaire du jour où, en captivité, j'ai appris que ma femme était partie avec un autre. » Et il en vient un par-ci, un par-là ! Nos communautés sont totalement non d'Église, non confessionnelles, elles ne figurent dans aucun annuaire des œuvres ecclésiastiques. Elles sont basées sur une lettre que m'a écrite le secrétaire de l'assemblée des évêques de France, Monseigneur Guéry, archevêque de Cambrai, pendant l'hiver 54 : « Nous, les évêques, estimons ne pas devoir donner notre patronage à votre action, car la cléricaliser lui ôterait des moyens de toucher beaucoup de personnes. Ce qui ne veut pas dire que nous ne bénissons pas la Providence de vous avoir appelé à cet apostolat si urgent du logement ! » Et moi je lui ai répondu tout de suite, je le connaissais bien : « Cher Père, vous venez de faire un miracle ! Vous venez

• *47*

d'envoyer la bénédiction avec la liberté ! » Et les mouvements vivent ainsi, avec des chrétiens profonds, militants, à retraite régulière, et puis avec des totalement agnostiques !

C'est une chose qui vous tient à cœur. Vous répétez souvent : « Le partage fondamental de l'humanité n'est pas entre ceux que l'on nomme croyants et ceux que l'on nomme incroyants, il est entre les idolâtres de soi et les communiants. »

Absolument ! Il n'y a qu'un mal, c'est la suffisance. C'est la damnation.

Nous ne savons rien de la damnation. Si elle existe, s'il y a des damnés — jamais, l'Église n'a dit qu'il y avait des damnés, — la damnation, elle consiste, sortant de l'ombre, à s'entendre dire : « Tu te suffis ? Suffis-toi ! » Se regarder à perpétuité dans la glace, vous n'avez jamais essayé ? Eh bien, ce n'est pas drôle ! Pour moi, c'est l'enfer !

Et puis il y a la communion. Même des types qui peuvent commettre des tas d'âneries, des tas de bêtises, des tas d'erreurs, s'ils sont communiants, non suffisants, et se reconnaissant petits et ayant besoin de tous et appelés à servir en premier le plus petit, ils sont sauvés.

> *Voilà pour les non-croyants. À propos des croyants, vous dites : « Le croyant n'est crédible que s'il apparaît aux yeux de son frère non-croyant comme étant croyant — et là vous soulignez trois fois — quand même ! »*

Mais bien sûr ! Prétendre, comme on l'entend parfois : « Si tu étais croyant, tu n'aurais pas de problème ! » C'est une ânerie. Mitterrand m'a demandé : « Dans une vie comme la vôtre, est-ce qu'il n'y a pas des temps de doute ? » Je lui ai dit « Monsieur le Président, j'ai connu des temps de doute, radicaux, à quinze, seize ans. Quand j'en ai été sorti, je n'ai plus jamais connu le doute ! » Mais ma vie n'a jamais cessé d'être une interrogation perpétuelle. Elle l'est, et elle le sera toujours. J'ai les mêmes interrogations que les non-croyants, mais la différence, c'est que je suis certain que la vie n'est pas un chemin qui ne mène nulle part !

Père, votre vie est une vie d'indignation et de révolte. Vous avez eu des colères mémorables. Vous est-il déjà arrivé d'être en colère contre Dieu ?

Je ne peux pas. Je ne peux même pas le concevoir. Parce que je me pose mille interrogations — « Mon Dieu, pourquoi ? », comme le *Livre de Job*. Mais je l'aime avec la certitude qu'il est Amour. Et je ne comprends rien à tout ce qui est : « Délivrez-nous du mal ! » Je comprends *Délivrez-nous,* mais qu'est-ce que *le mal* ? Le malin ? Faut-il dire le mal ou le malin ? Je ne sais pas. Je sais que le mal existe et j'en pâtis comme tout le monde ; j'en ai les tentations. Mais ça ne pourra jamais entamer mon adoration. Quand j'étais novice, à la fin de la première année, on avait coutume d'écrire au dos d'une image, qu'on allait piquer dans la chapelle, quelques mots. Et à la fin de mon noviciat, j'ai écrit ces mots :

« Ô toi qui es, oui, sois ! » C'était l'adoration qui a accompagné ma vie entière. Elle est une blessure qui ne se fermera jamais.

La Bible dit : « L'homme est à l'image de Dieu. » Les gens rigolent : « Si Dieu est à l'image de l'homme, c'est pas bien beau ! » Mais je leur explique : « Réfléchis ! L'homme est à l'image de Dieu en creux, comme de la cire dans laquelle un sceau s'imprime. Tu ne vois pas le sceau. Mais si tu es attentif au moindre détail qui est dans la cire, tu vois, en creux, Dieu ; et donc l'appel de Dieu. Car ce creux est un appel ! À toi de ne pas tricher en le bouchant avec de la boue. Laisse ce creux qui t'appelle, qui te blesse, qui t'empêche d'être en paix, mais fais confiance.

J'aimerais revenir à la révolte. Vous avez écrit : « Si nous sommes sans colère quand nous voyons les autres bafoués, exploités, humiliés, il est clair que nous n'aimons pas ! » Jusqu'où peut aller la révolte, la colère ? Peut-elle aller jusqu'à la violence ?

Il y a des cas dans lesquels il n'est pas possible de ne pas être violent. Si on a la vocation d'être réellement non-violent, on s'est habitué pendant toute sa vie à être prêt, au moment où on verra une brute cogner sur un enfant, à se mettre entre les deux, et à dire à la brute : « Tu ne toucheras plus ce gosse avant de m'avoir tué ! » Bravo, c'est la vraie non violence !

Mais il y a la non-violence de celui qui voit la brute qui bat le gosse et qui dit : « Ce n'est pas beau de se battre ; moi, je prends la rue à côté. » Il y a des faux non-violents de ce genre-là. Et puis il y a l'homme normal qui dit : « Tu t'arrêtes ou je te casse la gueule ! »

J'aime raconter une blague. Un curé passe sur un pont, et il y a des types un peu saouls qui se moquent de lui et qui disent : « Chiche ! Si je te frappe la joue droite, est-ce que tu tendras la joue gauche ? » « Oui, chiche ! » L'un des deux hommes lui flanque une paire de claques à droite et le curé tend la joue gauche ; il lui flanque une paire de claques à gauche. Alors le curé, qui était un costaud, empoigne par la peau des fesses celui qui l'avait giflé et le passe par-dessus la balustrade du pont ; et plonge pour aller le sortir de la flotte. Et quand ils sont ressortis, il dit : « Oui ! le Bon Dieu nous a dit de tendre l'autre joue, mais il ne nous a pas dit ce qu'il fallait faire après ! »

Je n'ai jamais eu de haine. Je n'en ai pas et on me le reproche souvent. J'ai une espèce de compassion pour ceux qui font le mal, Staline ou Hitler ; je n'ai pas de haine, mais je ne peux pas rester passif. Ce n'est pas possible ! Gandhi, lui-même, répétait : « La non-violence est mieux que la violence. Mais la violence est mieux que la lâcheté. »

*Une pierre du Sahara,
don d'une femme musulmane.*

LE SYMBOLE

La réconciliation

EDMOND BLATTCHEN. — *Votre symbole, Père, est un modeste caillou…*

L'ABBÉ PIERRE. — Un caillou oui, mais il a son histoire. Elle est toute belle. Elle est très récente. J'ai hésité, j'aurais pu choisir entre beaucoup d'objets, parce qu'il y a tout un musée fait par mes neveux avec les choses que j'ai pu rapporter. Mais quand j'étais au Sahara, à l'Assékrem, à 2800 m d'altitude, l'Algérien qui nous a conduits avec sa voiture — quatre roues motrices, dans des cailloux épouvantables — n'a pas voulu être payé. C'était mille francs la course. Il n'a pas voulu être payé, ni à l'aller, ni au retour. La veille de notre retour en France, son épouse nous a invités à dîner, l'ami qui me soignait, le Père Jacques, et moi, chez eux. Et à la fin du dîner, alors qu'ils avaient participé à la guerre d'Algérie, la jeune femme s'est approchée et m'a mis dans les mains cette pierre, et elle m'a dit : « Père, nous sommes ici, dit-on, la région volcanique la plus ancienne de la terre entière. » (C'est l'inverse complet du Sahara du Nord que je connaissais avec ses océans de vagues, de dunes, et puis des oasis de loin en loin. C'est un petit paradis terrestre à certains points de vue. Et quand j'ai pris la décision de ne pas retourner au même endroit, à l'Assékrem, mais d'aller à Tamanrasset où était mort le Père de Foucauld[10], j'ai été complètement pris au piège, car je ne savais pas du tout que j'allais retrouver le Sahara volcanique et plus du tout le sable.) Cette pierre, cette dame musulmane l'avait recueillie parce qu'elle évoque, c'est vrai, un peu la Madone tenant l'enfant Jésus dans ses bras. Elle l'avait dans sa chambre. Elle est venue me la donner et je lui en suis reconnaissant.

Vous m'avez demandé un symbole. J'ai pour la Vierge un très grand attachement. Je ne peux pas m'endormir le soir autrement qu'en disant des *Je vous salue, Marie,* et cela depuis l'enfance. Vous m'avez demandé de trouver un objet ; cette pierre volcanique qui évoque Marie et Jésus et que m'a donnée une musulmane symbolise la fraternité entre les races, entre les peuples qui ont pu s'entre-tuer et qui finalement se réconcilient.

Votre souci d'un dialogue entre les religions, et notamment entre le christianisme et l'islam, est permanent. Vous rêvez, je crois, de créer à Jérusalem une communauté d'Emmaüs qui réunirait juifs, musulmans et chrétiens. Réaliserez-vous jamais ce rêve ?

Je ne sais pas si je ne serai pas cueilli par le Bon Dieu avant qu'une paix suffisante soit venue à Jérusalem pour que ce soit réalisable. Et réalisable dans l'esprit qu'il faut, c'est-à-dire non pas sous la domination, refusée par d'autres qui estiment avoir eux aussi des droits, pas respectés. Donc, il n'est pas question d'entreprendre cela, de le réaliser avant que les conditions soient favorables. Les verrai-je ? J'ai envie de mourir, mais j'attendrai le plaisir du Bon Dieu. Cependant, oui, dès que possible, on le fera, c'est sûr, c'est sûr ! Nous avons des catholiques, des protestants, des orthodoxes, des musulmans ! Nous commençons en Algérie en ce moment. Nous avons des communautés d'Emmaüs en Extrême-Orient. Là-bas, il n'y a pas deux pour cent de chrétiens, et tout cela marche bien.

Pour vous, Jérusalem n'appartient ni aux uns ni aux autres ? Pas plus que la France n'appartient aux Français, quoi que prétendent certains... Vous dites : « La Terre est aux humains. »

Absolument ! Et nous ne vivrons que comme cela ! D'ici peu, avec les moyens modernes, si nous prenons le simple bassin de la Méditerranée, le Maghreb, les trois pays, c'était la moitié des

Français pendant la guerre ; dans vingt ou trente ans, à moins qu'il y ait une épidémie colossale, encore pire que le sida, ils seront le triple. Et ils sont sur des terres arides sans fleuve, et ils lisent tous les jours dans le journal que nos paysans pleurent et font des manifestations parce qu'on leur interdit de fabriquer de la bouffe ! Et ils voient leurs enfants à eux qui crèvent pendant que chez nous le paysan se désespère d'avoir trop. Ce n'est pas durable !

> *Nous allons reparler de ce risque-là dans le dernier chapitre. J'aimerais revenir à Gandhi avec vous ; vous l'évoquiez il y a quelques instants. Il disait : « Que chaque foi s'approfondisse ; puisque la Terre est ronde, les racines se rencontreront. »*

Oui, tout à fait ! Je n'ai pas eu le privilège d'approcher Gandhi. J'ai approché, j'ai connu, j'ai eu de longues conversations avec Nehru, certaines d'ailleurs terribles à notre égard. Un jour, Indira Gandhi[11] servait d'interprête — car, quand elle voulait bien, elle parlait bien le français. Elle m'a servi d'interprète, une nuit , à Nâgpur, après une réunion du parti du Congrès. Il s'agissait du problème des naissances, de la politique que Nehru mettait en route avec des affiches sur les tramways et partout, pour limiter les familles à trois enfants, sinon on payait des impôts supplémentaires. Nehru m'a dit : « Je sais que chez vous on n'est pas d'accord, mais dites-leur que nous prendrons au sérieux les conseils de morale qu'ils nous apportent, quand nous les verrons pratiquer ce qu'ils affirment eux-mêmes être le fondement de toute leur morale, qui est le partage. Ce jour-là, on les prendra au sérieux ; en attendant, qu'ils la bouclent ! » Il me dit un jour : « Vous avez des volontaires suédoises, personne n'ignore que c'est un des pays du monde où depuis la guerre on se suicide le plus [12]. Si elles viennent chez nous pour nous apporter cette maladie — il n'y a pas beaucoup de suicides dans nos bidonvilles — eh bien, qu'elles restent chez elles ! »

Puisque
je n'y étais pas...

EDMOND BLATTCHEN. — *Père, tout le monde, les sociologues, les médias, les journalistes, disent que vous êtes pro-phète. Comment voyez-vous le millé-naire à venir ?*

L'ABBÉ PIERRE. — D'abord, il faut s'en-tendre sur le sens du mot *prophète*. On lui a donné la signification de « prédire l'avenir ». Prédire l'avenir, ce n'est pas son premier sens. Le *prophète*, c'est celui qui *pro-phétise*, qui *parle-pour* (de φημι, *phèmi* en grec) ; c'est le type qui monte sur une borne et qui gueule dans la foule : « Ça ne va pas ! »

Et c'est ce que vous avez fait toute votre vie !

Autre chose d'être le *prédicteur,* c'est-à-dire de faire des prévisions sur l'avenir. Eh bien, j'en fais comme vous, pas plus que les autres !

Mais il y a des points très importants. Premièrement, dites à vos fils, à vos filles : « La vie, ce ne sera pas marrant. La nôtre ne l'a pas été non plus. Et on l'a vécue, on a tenu le coup. On a vécu deux guerres. On a vécu l'Occupation et les tyrannies. Alors, préparez-vous, ce ne sera pas drôle ! Mais si vous n'avez qu'un idéal, c'est : moi, moi, moi, ma carrière, polytechnique, l'Ena, je réussis et je fais partie de la noblesse d'État, comme je l'ai lu dans *Point de Vue...* Eh bien, si c'est ça votre idéal, vous êtes à plaindre ! » Parce que les événements vont être d'une telle brutalité qu'ils casseront ceux qui n'auront pas d'autre idéal que leur « moi ». Et, Dieu merci, parce que peut-être ça leur ouvrira les yeux avant qu'il ne soit trop tard. Pourtant, c'est le devoir de l'homme d'être heureux et c'est la gloire de Dieu que l'homme soit heureux. Alors, il faut dire : « Mais si votre idéal, c'est de vouloir être heureux pour être capable de rendre les autres heureux, pour trouver votre joie dans la joie que vous donnerez, alors vous êtes dans le bon parce que vous arrivez dans un temps où, à côté de menaces terribles, il y a des moyens de donner le bonheur qui n'existaient pas dans le passé... »

Cela, c'est écrit en toutes lettres dans le manifeste universel du mouvement Emmaüs. Je lis dans le chapitre I qui concerne votre loi : « Servir avant soi qui est moins heureux que soi, servir premier le plus souffrant. » Père, qui vous a appris cela ? Il y a dans votre enfance un souvenir précis, d'une punition qui vous a, finalement, tout révélé...

Oui ! Je mangeais de la confiture en cachette. Un enfant m'aperçoit. Je laisse soupçonner un de mes frères. Puis, on découvre que c'est moi. Et papa me dit : « Ce soir, il y a une fête chez des cousins très riches ; pour ta pénitence, tu n'iras pas. » Moi, philosophe, j'ai joué au mécano. Le soir, mes frères et sœurs reviennent. Un de mes frères, exubérant, court vers moi : « Il y avait ça ! ça et ça ! c'était merveilleux ! » Je me rappelle des détails des jeux dont il me parlait.

À ce point-là ?

Je m'en rappelle, j'avais six ou sept ans. Je le vois. Il s'agissait d'un tir aux pigeons, avec deux barres en bois. Il y avait un pigeon sur chaque bout. Et puis on tournait, il y avait des caoutchoucs par-dessous, on lâchait, ça repartait dans l'autre sens. Et avec une carabine, on tirait aux pigeons ! Je me rappelle de cela comme si c'était ce matin que vous me l'aviez raconté.

Et moi, j'étais là, très digne. Je vois où j'étais, adossé contre le pilier de la balustrade qui montait au premier étage de la villa. Et avec la plus grande dignité de mes sept ans, je lui dis : « Qu'est-ce que tu veux que ça me fasse puisque je n'y étais pas ? » Et là-dessus, je lui tourne le dos et je m'en vais.

Quelques moments après, mon père, qui était souvent malade, vient me prendre par la main. Il ne me gronde pas. Il ne me punit pas, mais je le vois malheureux. Et malheureux parce que je n'étais pas bon. Et je l'entends encore me disant : « Mais tu ne vois pas comme c'est horrible ! Alors, il n'y a *que toi* qui comptes ? Tu ne parais pas être heureux quand les autres sont heureux ? Et ça a été pour moi — qui étais tellement fier de ma logique, j'avais bien répondu : « Je n'y étais pas, je m'en fiche ! » — brutalement comme si une bourrasque ouvrait les volets d'une pièce obscure ; je me trouvais, comme disait Pascal, « devant un autre ordre », dans la lumiè-re. J'avais répondu dans *l'ordre de la rai-son*. Et voilà que tout d'un coup se révé-lait *l'ordre d'aimer*[13].

Être heureux non pas parce que moi j'ai reçu mais parce que les autres sont heureux.

Ce n'est pas ce jour-là qu'Emmaüs est né ?

Probablement ! Le bon Dieu a ses combines…

> *Père, j'aimerais aussi que nous évoquions maintenant une rencontre qui a beaucoup compté pour vous. Je crois que c'était en 1946 à Princeton. La rencontre d'Einstein vous a livré les trois craintes qu'il nourrissait pour l'avenir : l'explosion de la matière, l'explosion de la vie, et enfin l'explosion du psychisme.*

C'est vrai que c'était un privilège extraordinaire pour moi de rencontrer Einstein. C'était à la fin d'un congrès, dont j'avais dû assurer la présidence, à Minneapolis. Étant président du Mouvement fédéraliste mondial, un ami me dit : « Est-ce que tu aimerais rencontrer Einstein ? » Bien sûr ! On a passé deux heures chez lui dans une maison de bois très modeste, à côté de l'université, et après que je l'eus questionné sur ce qu'il fallait prévoir comme répercussions pour l'humanité de cette nouvelle énergie de la désagrégation atomique, il m'a répondu qu'il n'avait accepté de faire la bombe atomique qu'après avoir détenu la preuve qu'Hitler pouvait l'avoir quelques mois plus tard. Mais il me disait l'angoisse dans laquelle il était d'avoir mis une telle puissance dans les mains de peuples et de gouvernements si infantiles, incapables de comprendre que la bombe tournait une page de l'histoire de l'humanité. Mais après, très vite, révélant qu'il était autre chose que mathématicien, il me dit : « Il y a deux autres explosions, beaucoup plus énormes de conséquences à prévoir pour l'humanité, en bien ou en mal.

L'une, c'est l'explosion de la vie, elle a déjà commencé. Par la guerre, on a diffusé la médecine et la pharmacie à travers le monde entier. On ne va pas refuser, parce que les armées sont parties de continuer à donner des médicaments. Le résultat est que, là où il y avait huit gosses sur dix qui mourraient avant d'être adultes, il n'y en aura plus que deux qui mourront. Et en une génération on double ou on quadruple la population de peuples très pauvres ! Cela, ça ne peut pas être laissé à soi-même.

Laissez les choses se développer d'elles-mêmes — prenons le bassin méditerranéen, les populations du Sud, les terres arides sans fleuves, et le Nord où tous les jours on nous annonce que les terres les plus fertiles du monde sont laissées à l'abandon. Il est inévitable qu'avec les moyens du terrorisme moderne, un de ces quatre matins, le président de la République reçoive une lettre lui disant : « Vénérable Monsieur le Président, très respectueusement nous vous signalons que nos enfants meurent de faim et que vos paysans sont très malheureux parce qu'ils laissent leurs terres en friche. Alors on vous donne un mois pour ouvrir des négociations. Sinon, dans un mois, on fait sauter l'Opéra ! »

Or, nous savons que — Dieu merci ! — les Américains se sont mis d'accord pour démonter une partie de leurs projectiles nucléaires mais personne ne sait ce que l'on a fait du plutonium : il y en aurait en Tchécoslovaquie, vendu par des généraux russes ! Et peut-être que du côté américain on n'a pas beaucoup plus de sécurité ? On dit qu'un chimiste élémentaire ayant du plutonium peut fabriquer une bombe atomique dans sa cuisine !

Einstein prévoyait en fait deux grandes menaces : l'explosion de la matière, de la vie…

Et puis enfin, une troisième explosion, qui est le fait que nous sommes désormais une humanité condamnée à tout savoir. À tout savoir ! Même le plus gueux des gueux de mes compagnons chiffonniers, où que ce soit à travers le monde, il ramasse les revues de luxe qu'on a mises à la poubelle. Il rentre le soir sous sa tente et il a l'eau à la bouche en voyant les moyens dont on dispose et dont on pourrait se servir pour le tirer de son pétrin, pour sauver ses gosses. Et il devient comme de l'eau qui est devenue de la vapeur. C'est la même matière mais ça ne peut pas se manipuler de la même façon. Et Einstein me disait : « L'homme saura tout, sera condamné à tout savoir et il ne supportera pas le gâchis qu'il découvre que l'on fait des moyens ! »

Père, une dernière question. Nous sommes ici, à Esteville, à la Halte d'Emmaüs. Pourquoi « Halte » ?

Oh, c'est tout simple ! C'est parce que le cimetière est à un kilomètre, parce que nous sommes une maison pour des personnes âgées, infirmes, malades.

Moi-même, je suis le plus vieux. Et quand j'ai accepté ce château en ruines, et qu'on a décidé de le retaper, il fallait lui trouver un nom. Et un jour, dans la voiture, en venant de Paris, l'idée m'est venue. Ce n'est pas la fin, c'est la halte. C'est la pause avant d'arriver au terme du voyage, avant d'arriver auprès du Bon Dieu. C'est simplement la pause et la halte.

Avant ce que vous appelez « les grandes vacances » ?

Avant les grandes vacances. Priez pour
qu'elles ne tardent plus !

> C'est vrai que ça fait longtemps que
> vous l'attendez, cet épisode ; depuis
> l'âge de sept ans. Et votre ami
> François Garbit qui était, en fait,
> votre chef scout, je crois, vous a écrit
> en 1928 : « La mort, c'est par la vie
> qu'on la mérite. »

C'est vrai, c'est vrai !

• 77

> Vous pensez l'avoir méritée ?

Non !

Notes de l'éditeur

1. *Hiver 54*, France, 1989.

2. Pierre Lunel, homme politique et écrivain français contemporain. Il est l'auteur de *L'abbé Pierre, l'Insurgé de Dieu*, Paris, Stock, 1989.

3. Les Témoins de Jéhovah, seuls, conservent cette forme. Littéralement, *Elohim* semble un pluriel, « les Dieux », ce qui paraît manifester la multiplicité du Créateur ; la forme au singulier serait **Eloha* — *cf.* l'arabe *el-Lah* ou *Allah*, « la Divinité » ou « Dieu ». Mais la prononciation avec les voyelles *a-o-a* entre les quatre consonnes de YHWH ou JHVH provient de la prononciation donnée à ce tétragramme, celle d'*Adonaï*, « (le) Seigneur ». La transformation du *a* initial d'*Adonaï* en *e* est due à une tradition d'écriture *massorétique* (« d'enseignement », VIIe-Xe siècle après J.-C.)

et explique entièrement la forme
YEHOWAH ou *Jéhovah*.

4. Feliks Dzerjinski (1877-1926), fonda-
    teur en 1917, sur l'ordre de Lénine,
    de la Tchéka, police politique sovié-
    tique. Cette police, « ancêtre du
    KGB » avait pour but de combattre la
    contre-révolution ; elle disposait en
    fait de pouvoirs quasi illimités.

    Après une tentative échouée de
    putsch à l'encontre de Gorbatchev en
    août 1991, le symbole du KGB est mis
    à terre : la statue de Dzerjinski est
    déboulonnée.

5. Edgar Faure (1908-1988), avocat,
    homme politique et écrivain français.
    Gaulliste de la première heure, Edgar
    Faure rejoint le Général à Alger dès
    1943 ; il sera plusieurs fois ministre et
    président de l'Assemblée nationale.

6. Paul Touvier (1915-1996), collabora-
    teur français longtemps caché, après
    la guerre, par des clercs, condamné
    en 1994 à la réclusion criminelle à per-
    pétuité pour l'exécution d'otages juifs,
    meurt en prison deux ans plus tard.

    La controverse est la suivante :
    « Faut-il protéger un criminel qui
    vous implore de le protéger, par cha-
    rité ; ou le dénoncer à la police, par
    souci de justice ? » Une seconde
    controverse s'y est ajoutée : « L'Église
    catholique n'a-t-elle pas une sympa-

thie naturelle pour l'extrême droite, sinon pour le fascisme, voire pour le nazisme, ne fût-ce que par antisémitisme ? »

7. Charles Maurras (1868-1952), journaliste, pamphlétaire, écrivain et poète français dont la doctrine partisane de l'*ordre à tout prix* a longtemps été le parangon de la droite nationaliste française. Maurras déclarait en effet « qu'il valait mieux qu'un seul homme meure plutôt que tout le peuple » ou « préférer une injustice à un désordre » (de fait, il prit parti contre Dreyfus pour l'honneur de l'armée et de l'État français). Ce choix de la primauté de la communauté sur l'individu, comme son rationalisme positiviste, l'amenèrent paradoxalement à soutenir une monarchie héréditaire, antiparlementaire et décentralisée, en même temps qu'à combattre la foi... de la plupart de ses partisans politiques, catholiques fervents. Jugé complaisant pour l'ordre nazi après la Libération en 1944, il passa quelques années en prison avant d'être relâché pour raison de santé. Et il retrouva la foi chrétienne ; ses dernières œuvres et poèmes en témoignent. Il aurait murmuré, en mourant : « Pour la première fois, j'entends quelqu'un venir. »

On appelle indistinctement *maurrassiens*, souvent pour les amalgamer, et de façon péjorative, ceux qui paraissent avoir les idées de Maurras ; en fait, c'est ordinairement une manière polie de discréditer ceux qu'on soupçonne d'être de droite, favorables à un État fort.

8. Jules Saliège (1870-1956), prêtre et prélat français. Évêque de Gap (1925), puis archevêque de Toulouse (1928), il défendit les juifs et la justice contre la France collaborationniste de Vichy (1940-1942) puis contre les envahisseurs allemands (1942-1944), en prenant des risques héroïques, contre le goût de la prudence sinon de la compromission de beaucoup de ses confrères.

9. Maurice Pialat, cinéaste français (1926-), a reçu la Palme d'or au festival de Cannes en 1987 pour *Sous le soleil de Satan*, d'après le roman de Georges Bernanos.

10. Charles-Eugène, vicomte de Foucauld (1858-1916), dit *le père de Foucauld*, soldat puis explorateur et enfin ermite français. Il perd la foi à seize ans et mène la grande vie que lui permettent son rang et la fortune familiale jusqu'à ce que, brillant officier, envoyé au Maroc, il y découvre la fer-

veur des musulmans. De retour en France, il prie : « Mon Dieu, si vous existez, faites que je le croie ! » En 1886, il se convertit ; il se met au service des plus pauvres — chrétiens, juifs, musulmans ou non — en Palestine puis en Algérie. Désireux enfin de servir les plus isolés des hommes, les Touareg du milieu du Sahara, il se retire dans un minuscule ermitage à l'Assékrem, près de Tamanrasset, au sommet du désert. « Frère de tous les hommes », et d'abord des plus oubliés, il apprend la langue targui au point d'en écrire un dictionnaire. Il est assassiné par des pillards qui le soupçonnent d'espionner pour la France. C'est une quarantaine d'années plus tard seulement que ses écrits spirituels et quelques indications sur un ordre religieux s'inspirant de sa pratique seront découverts ; aujourd'hui, des milliers de *petits frères* et de *petites sœurs de Jésus* (également dits *de Charles de Foucauld*) rayonnent son idéal fraternel dans le monde entier.

11. Indira Gandhi (1917-1984), femme politique et présidente de la République indienne (1966-1977 puis 1980-1984). Fille du pandit Nehru, le « président-fondateur » de l'Inde moderne, elle devint, comme lui,

comme le Mahatma Gandhi et beaucoup d'autres membres de l'élite indienne formée à la fois dans l'Inde et en Angleterre, partisane aussi réfléchie que résolue de l'indépendance de son pays ; aussi connut-elle, brièvement, les prisons britanniques. Lorsqu'après la seconde guerre mondiale l'indépendance des Indes apparut inéluctable, elle œuvra — en vain — pour la paix entre hindous et musulmans.

C'est bien plus tard que la fille de Nehru — alors veuve d'un Feroze Gandhi sans parenté avec le Mahatma — accepta enfin le pouvoir que le parti du Congrès la pressait de prendre depuis des années, pour sauver leur pays, en guerre avec la Chine. Elle le mena vers l'union d'une main de fer, dans un gant de plus en plus dur, et de plus en plus mal toléré ; les élections de 1977 la renvoyèrent dans l'opposition. Cependant, dès 1980, l'impotence de ses successeurs lui rendit le pouvoir ; elle s'acharnait de nouveau à moderniser l'Inde lorsqu'elle fut assassinée par un de ses propres gardes du corps, un sikh qui n'avait pu admettre que l'armée saccage le temple d'Or d'Amritsar (le lieu sacré de sa religion), où s'étaient retranchés des opposants fanatiques à la politique de tolérance et d'unité panindienne d'Indira Gandhi.

12. Dans les années 1950, la Suède fut le premier pays du monde à publier honnêtement les chiffres du taux de suicides, presque toujours maquillés ailleurs en Occident. Depuis qu'elles sont moins trafiquées en Occident, les statistiques du suicide en Suède rejoignent la moyenne des pays développés — plus haute, apparemment — que dans les pays pauvres. Cependant le mythe du Scandinave (ou de l'Occidental), n'en poursuit pas moins sa route de par le monde.

13. Dans ses *Pensées*, le philosophe français Blaise Pascal (1623-1662) expose une conception originale des « trois ordres » de réalités, de grandeurs et de facultés : l'ordre des corps, celui des esprits et, supérieur aux deux premiers, celui de la charité : « La distance infinie des corps aux esprits figure la distance infiniment plus infinie des esprits à la charité car elle est surnaturelle. »

• *85*

Bibliographie de l'abbé Pierre

ESSAIS ET ENTRETIENS

Le scandale de la faim interpelle l'Église, Paris, Apostolat des Éditions, 1968.

Une Terre et des hommes, éditoriaux de la revue *Faims et soifs* de 1954 à 1989.

L'abbé Pierre. Emmaüs ou venger l'homme... en aimant, par Bernard Chevallier, Paris, Le Centurion, 1979. Rééd. Paris, Le Livre de Poche, 1987.

Cent poèmes contre la misère, Paris, Le Cherche-Midi, 1988.

La voix des hommes sans voix. Paroles de l'abbé Pierre, présenté par Michel Quoist, Paris, Les Éditions ouvrières, 1990.

Amour, toujours ! propos recueillis par Hélène Amblard, Paris, Le Seuil, 1992.

Dieu et les hommes, avec Bernard Kouchner,

• 87

propos recueillis par Michel-Antoine Burnier, Paris, Laffont, 1993. Rééd. Paris, Pocket, 1994.

Testament, Paris, Bayard, 1994. Rééd. Paris, Pocket, 1997.

Absolu, avec Albert Jacquard, propos recueillis par Hélène Amblard, Paris, Le Seuil, 1994.

Une terre et des hommes, Paris, Cerf, 1995.

Dieu merci, Paris, Le Centurion, 1995.

Le bal des exclus, Paris, Fayard, 1996.

Mémoire d'un croyant, Paris, Fayard, 1997. Rééd. Paris, Le Livre de Poche, 1999.

Fraternité, Paris, Fayard, 1999.

THÉÂTRE

Le mystère de la joie, Charenton, Association pour le renouveau du drame liturgique, 1986.

CINÉMA

Hiver 54, de Denis Amar, 1989.

ENREGISTREMENTS SUR L'ABBÉ PIERRE

Témoignage de l'abbé Pierre, Lyon, Audiovisuel Musique Évangélisation.

L'appel de l'abbé Pierre, Paris, Radio France, 1954.

L'abbé Pierre, Bruxelles, OCIC Vidéo.

Paroles vives, Paris, Les Films de la montgolfière.

L'abbé Pierre, entretien avec Edmond Blattchen, émission *Noms de dieux* du 8 septembre 1993, Radio Télévision belge. Disponible à la Médiathèque de la communauté française de Belgique, réf. F 026 SW7902.

Cet ouvrage, le douzième de la collection
« L'intégrale des entretiens NOMS DE DIEUX
d'Edmond Blattchen », a été composé en
New Baskerville corps onze et achevé
d'imprimer le cinq octobre mil neuf cent
quatre-vingt-dix-neuf chez Bietlot à Gilly,
Belgique, sur papier Meije bouffant 90 g
pour le compte de Alice Éditions,
Michel de Grand Ry, éditeur.